KB103790

엄마의 이불

엄마의 이불

발행 2024년 3월 13일

저자 이정인

표지 디자인 이정인

펴낸이 한건희

펴낸곳 주식회사 부크크

출판사등록 2014.07 15(제2014-16호)

주소 서울특별시 금천구 가산디지털1로 119 sk트윈타워 A동 305호

전화 1670-8316

이메일 info@book.co.kr

isbn 979 11 410 7634 4

목 차

2부 삶의 가치

여는 글

첫 번째 나. 자유. 두 번째 낚시 여왕

세 번째 엄마의 이불이란 글로 써본다.

엄마라는 단어가 정겹고 그립고 항상 가슴에 남아 아프게 한다. 지나온 엄마의 인생, 한 여성의 삶을 간결하게 표현했다. 엄마와의 인생은 보고 듣고 했던 이야기 아마도 더욱더 많을 수 있겠지만. 늦둥이라서 오빠, 언니하고, 나이 차이도 많이 나다보니 더욱더 세밀하게 쓰지 못 한지도 모른다. 하지만 내가 크면서 보고 듣고 한 이야기들이다. 요즘은 각자 개성이 강하고, 표현 방식도 부모님이 사셨던 세대와는 다르다. 본인의 소개도 확실하고, 스스로 자랑도 한다.

명문대 출신, 부유층, 비싼 외제 차, 얼마나 뽐내고 자랑하는 시대인가? 소리 없이 빛도 없이 살다간 아름다운 별, 고귀하고, 멋지고, 아름다운 별이 있다고 말하고 싶다. 그래서 이 고귀한 별, 한 인간으로 살다 간 한 많은 한 여성의 삶을 말하고 싶다. 한세상을 가엽게 살다 마감한 한 여성의 고달프고 한이 맺혀 울부짖었던 모습 그 모습이 안타까워 글로 남기고 싶다. 한 서린 한 여성은 내 엄마다. 요즈음 이렇게 저희 엄마처럼 산다고 하면 아무도 안 살 것 같다. 가엽고 의지할 곳도 없었던 엄마는 줄줄이 딸린 자식이 있어 참고, 견뎌 내지 않았을까 싶다. 엄마와 내 삶은 극히 다른 삶이기에 이글, 엄마와 지금 내 모습 삶을 표현했다. 엄마이기 전 한 여성으로 인정받고 싶다.

1부 엄마의 이불

1. 그리운 엄마

누구나 살면서 엄마라는 그 이름 하나로 소중하고, 따스하다. 내 가슴속에 그리움으로 남아있다. 나도 모르게 엄마께 죄송하고, 미안하고, 그래서 "엄마의 한스럽고 답답했던 사연 많은 삶" 늦었지만 내가 풀어 드리고자 엄마의 글을 쓴다. 물론 이 시대에 힘들고 고달프게 사신 분도 많겠지만, 엄마 가슴에 묻어두었던 이야기 지금은 먼 하늘나라로 떠나고 안 계신다. 그곳은 아프지도 않고, 천사의 날개옷을 입고 행복하게 아주아주 잘 지내고 계시리라 믿는다. 이승에서 삶은 너무도 고달프고 안쓰럽고, 가엽게 사셨으니 말이다. 여자의 일생 너무 맘이 아프다. 엄마의 "한스러운 삶" 어떻게 견디면서 살았을까. 아마도 자식 5남매가 있었기에 혼자 의지할 곳 없어도 버티고 사셨지 않았나 생각한다

엄마 장독대 생각 그림

엄마는 아버지한테 처녀로 시집왔단다. 아버지는 큰엄마가 돌아가시고, 엄마와 결혼하셨다. 아버지는 10살 때 친척 집 양자로 들어와 결혼도 큰엄마랑 하셨지만, 큰엄마는 딸 둘 두고 돌아가셨단다. 그 후 엄마는 어린 나이 18세 처녀로 아버지한테 시집왔단다. 이루 다 말할 수 없는 시집살이 시작이 되었다고 하셨다. 내가 크면서 동네 아주머니께서 엄마 이야기 엄청 많이 해주셨다. 엄마는 조용하고, 얌전하고, 그랬다고 한다. 엄마는 아버지한테 와서 행복보다는 서럽게 사신 것 같다. 시집올 때 엄마는 이불도 안 해 왔다고, 할머니가 심하게 구박하고 이불도 안 주셨단다.

1.4 후퇴 때 압록강 건너 다리에서 보자 했다던 외할아버지, 외할머니가 오지 않아 외삼촌은 엄마와 이모 데리고 먼저 오셨다고, 그 이후는

살아계신지 돌아가셨는지 알 수가 없었단다.

이모가 한 분 있었는데 속아서 사기 결혼, 군인 출신이고, 유부남이었다고 이야기 들었다. 엄마가 의지할 곳은 여동생 한 분 이모는 자살하고 말았다. 엄마한테 잘살라고, 말 한마디 던지고 떠났단다. 엄마는 충격으로 정신이 이상해졌다고 한다. 엄마가 힘든 집안일은 다 했단다. 엄마는 산으로 나무도 하러 다니시고 밤이면 할머니가 이불도 안 해왔다고 이불도 못 덮게 했다 한다. 믿기지 않는 이야기를 난 들었다.

2. 엄마의 삶

난 7남매 중 막내다. 배다른 언니 두 분, 하고 엄마가 여섯을 출산하셨다. 내 위로 언니가 하나 있었는데 세 살 때 홍역 하다 죽었다고 한다. 그래서 지금의 나는 호적이 세 살 줄어있다. 나 또한 그리될까 봐 염려되었던 것 같다. 내가 초등학교 때는 너무 나이가 어려 철이 없었던 것 같다. 상수도가 집마다 들어오지 않아 개울물 지러 다가 밥도 하고, 개울가에서 빨래도 했다. 내 위로 언니가 밥을 하고, 개울에 가서 물 떠 오고, 언니는 힘들게 엄마 대신 밥을 하고 학교도 다니면서 고생했다. 큰오빠는 군에 입대 했고, 둘째 오빠, 막내 오빠 서울에 있다고 했다. 철없는 나는 때만 쓰고 아무 일도 없듯이 지냈다. 마을은 중학교 다닐 때쯤 동네 버스도 다니고 산 고개 넘어 학교 가지 않아도 되었다. 내 바로 위 언니도 공부한다고 도시로 떠나고 없었다. 다만 큰오빠가 군에서 제대하고 집으로 왔다. 오빠가 우리랑 같이 산단다. 아버지도 아프시고, 엄마는 정신이 이상하고, 오빠가 부모님을 모신단다. 아버지는 기침을 심하게 하셨다. 걸음 걸을 때 지팡이를 짚고 다녔으니 말이다. 오빠는 결혼도 했고, 새언니가 생겼다. 난 너무 기뻤다. 난 학교 갔다 오면 청소를 깨끗하게 하고 마루도 반질반질하게 청소했었다. 오빠, 올케가 있어 난 맘이 놓였다.

아버지 회갑이 되었다. 큰오빠가 회갑 잔치를 크게 잘 차려드렸다. 동네 사람들 다 오셔 꽹과리 치고 징 치고 신나게 놀았다. 마당에는 하늘

높이 치솟은 천막이 처져 있고 마당은 멍석을 깔아 네모지고 둥근 교자상들이 줄지어 있었다. 동네 아줌마들은 집에서 음식을 하시고 들기름으로 부침개를 부쳐 온 동네 들기름 냄새로 진동했다. 집마다 들깨 농사지어 들기름이 많았다. 환갑은 넘기시고 내가 중3 학년 때 하늘나라 가셨다. 평소에 기침이 심하시어 거동하실 때 숨이 차 하시고, 밤이 되면 기침하시고 가래침을 밤이나 낮이나 뱉어내셨다. 통조림 깡통이 항상 머리맡에 있었다. 통조림 빈 깡통이 녹이 슬 정도 쓰다가 버리곤 했다. 담배도 피우시어 담뱃재도 있었다. 난 아버지 녹이 슬었던 통조림 깡통 가래침 뱉어냈던 걸 아침 되면 깨끗하게 씻어 갖다 놔 들이곤 했다. 큰오빠가 집에서 같이 살면서 화단 옆에 우물을 파서 수돗물이 펑펑 나와 물 쓰는 것은 편했다. 오빠랑 같이 살면서 집안은 많은 변화가 왔다. 오빠가 농사도 짓고 다했다. 아버지가 하늘 날아가신 뒤로부터 엄마랑 나랑은 둘이 같이 잠도 자고 늘 엄마와 함께했다. 집안에서만 함께했다. 밖에 나가면 난 엄마랑 안 다녔다. 창피해서 싫었다. 엄마는 여전히 산으로 도토리 줍고, 쑥 캐서 조금조금 장롱에 돈을 넣어 두었다. 모아서 이불 사려고 했다. 이불 사려 장롱 속 깊이 숨겨둔 돈을 난 몰래 꺼내다 썼다. 난 철이 없었으니 엄마 모르게 꺼내서 군것질하고, 밥은 안 먹고 그랬다. 학교 다닐 때 울기도 많이 했다. 떼쟁이처럼. 엄마는 귀신같이 돈이 없어지면, 알고 난리였다. 표시 안 나게 쪼금 꺼내도 알았다. 신기했다. 정신이 온전하지도 않은데 어떻게 아는지 난 그래도 학교 다닐 때 엄마가 난리 해도 꺼내 갔다. 정말 지금 생각해 봐도 난 막내라 철이 없는 건지 생각이 없는 건지 싶다.

3. 엄마의 이불

엄마는 시집올 때 이불 안 해왔다고 할머니한테 시집살이해서인지 한이 되셨나 보다.

엄마와 난 40살 차이 난다. 40살에 나를'출산' 늦둥이다

엄마는 매일 도토리를 주우러 산으로 가셨다. 우리 집은 언제부터인지 마루와 마당에 도토리가 쌓이기 시작했다. 시장에 내다가 파신다. 정신이 이상한데도 하나에 꽂혀 이불에 집착하셨다. 엄마는 도토리 주워 파신 돈으로 모아서 알록달록한 이불을 사 오셨다. 사 온 이불은 차곡차곡 장롱 위에 쌓이기 시작했다. 사와 덮지도 않고 쌓아 놓기만 한다. 갈수록 해마다 가을이

면 우리 집엔 도토리로 집안을 가득 메웠다.

엄마는 버스도 못 타신다. 시장 가려면 산을 넘어 4km 되는 곳을 걸어 다니신다.

엄마가 매일 주웠던 도토리

엄마의 이불 그림 표현

4. 엄마의 봄

엄마는 봄이 되자 이제는 논둑으로 다닌다. 쑥을 뜯으러 다닌다. 쑥을 뜯어 시장에 팔면 돈이 되면 이불을 또 사신다. 우리는 이제는 "엄마의 한"이 서린 집착을 말리지 못했다. 여자가 한을 품으면, 오뉴월에도 서리가 내린다고 안 했던가. 엄마는 쑥을 뜯어 시장에 팔고 이불도 사서 머리에 이고 산 고개 넘어 집으로 오셨다.

난 엄마를 도와주지 않았다. 창피하다고 느꼈으니 말이다. 시장에 많은 쑥을 갖고 가도 제값을 못 받고 파는 것 같았다. 말해보면 좀 이상하게 느끼니 제값을 쳐주지는 않았던 것 같다.

엄마는 그래도 당신이 했던 일들이라 쑥으로

쑥 개떡은 잘 만들어 줬다. 그때의 엄마가 만들어준 개떡은 이루 말할 수 없이 맛났다. 쌀가루 대신 밀가루를 넣어 만들어 줬어도 쫀득쫀득하고 맛있던 기억이 남는다. 그 어릴 적 엄마가 해준 쑥 개떡을 생각하면서 만들어 먹었지만, 엄마가 해줬던 그 맛이 아니다. 난 쌀가루를 넣어 더 나은 맛이라고 했지만, 엄마의 맛이 아니었다. 엄마는 도토리묵도 잘해 줬다. 도토리 주워 와서 마당에 말려서 마른 도토리를 맷돌에 갈아 껍질째 함지에 넣어 도토리 떨 분 맛을 빼냈다. 앙금은 큰 가마솥에 넣어 한참을 저어 끓여. 어느 정도 익으면, 플라스틱 바가지로 떠내 함지에 담아 두면, 도토리묵이 되었다. 가마솥에 도토리 누룽지도 생기었다. 큰 쇠 주걱으로 긁으면 한 번에 아삭아삭한 누룽지가 되었다. 어릴 적 먹었던 기억이 난다.

엄마는 누가 시키지도 않아도 아침 먹고 나가면, 점심도 먹으러 오지도 않고 도토리를 한 자루 주워야 집으로 왔다. 험한 산길을 혼자서 매일 다녔다.

이불만 사려고 어떻게든 돈이 있어야 이불을 살 수 있다는 것을 알았다.

엄마 맛을 그리면서 해봄

엄마가 해준 쑥 개떡.

5. 엄마의 외로움

큰오빠, 올케언니도 시골을 떠나 도시로 가셨다. 시골에서 있어 봐도 큰 소득도 안되고 오빠는 요식업에 관한 관심사가 많았다. 아버지도 안 계시고 그래서인지 도시 가서 사업을 하시던 다른 일을 하신단다.

엄마는 다시 혼자만의 시간이 되었다. 엄마의 친구는 도토리와 쑥이 늘 함께했다. 그래도 농사일은 혼자서 밥에다 콩을 심고, 농약도 안 치고, 곡식이 제대로 되지는 않았다.

엄마는 가만히 있지 않았다. 밭에 가서 풀을 매고 엉덩이는 흙으로 묻어 옷이 흙물이 들어 있었다. 엄마의 일상은 혼자서 시골에서 밥해 드시고, 또 봄이 되면 쑥, 가을이 되면 도토리 팔아서 이불 사는 일은 멈추지 않았다. 안쓰럽고 가여운 엄마는 혼자서도 잘 살고 계셨다. 시골에는 아무도 참견하는 이가 없었으니, 이불만 쌓여가고 아까워 덮지도 않으셨다 오래되어 먼지와 쥐들이 제집 드나들듯이 이불은 쥐똥, 쥐털에 우린 시골 갈 때마다 엄마 모르게 하나씩 이불을 태웠다. 얼마나 가슴 아픈 일인가! 엄마가 힘들게 모은 엄마의 재산이었다. 엄마는 연세가 드시고 가끔 아프긴 했지만, 도토리 줍고, 쑥 뜯어 이불 사는 낙으로 외로움을 달래고 사셨다.

6. 큰오빠 시골 귀환

큰오빠는 우리나라 손꼽히는 대기업 주방장으로 일하고 계셨다. 그곳에서 일하시면서 몸이 안 좋으신지 그만두시고, 오빠만의 가게를 차리셨다. 산본 상가 사서 직접 운영하시다가 몸이 안 좋아 다 정리하고 엄마가 계신 시골로 간단다. 다행이다. 엄마의 외로움이 덜하겠다고 생각했다.

시골 땅이 있어 새로운 집을 짓고 내려가신다. 다른 곳보다는 고향이 좋겠다고 엄마도 계시고, 오빠의 병은 간경화란다. 복수에 물이 차서 물이 차면 빼야 한단다. 시골에 새로운 집도 지었다. 엄마도 같이 살자 해도 옛날 집에서 사신다고 한다. 오빠는 시골에서 집 짓고 좋은 공기 마시면서 병이 날 거라고 했지만 현실하고 달랐다. 시골 일손이 바쁘면 가서 도와주고 그리 하셨나 보다.

7. 큰오빠, 하늘나라

시골에서 한 3년이나 사셨나 남의 일손 도와 주다 쓰러지셨다고 한다. 시골집에서 병원은 안 가고 누워 있단다. 난 시골로 내려가면서 시장에 들러 과일 좀 사고 이것저것 샀다. 과일가게 아주머니가 많이 샀다고 사과 하나를 덤으로 주셨다. 맛이나 보란다. 집으로 가려 운전대를 돌려 달렸다. 오빠가 나쁘지 않았으면 하는 맘으로 내 차는 시골길을 달려 한 삼십 분 뒤 고향집에 도착했다. 집에 들어가 현관문을 열고 보니 거실에는 큰오빠가 누워 있었다. 머리맡에는 누룽지 끓여줬나보다 통통 불어있는 누룽지가 있었다. 사 온 과일 중 아줌마가 준 사과 하나를 깎아주란다. 그걸 먹더니 잘 먹었다고 한다. 심각해 보여 난 막내 오빠한테 전화했다. 병원으로 가야 한다고 하지만 오빠는 괜찮다 한다. 막내 오빠랑 통화하면서 큰오빠는 우시고 계셨다. 마지막이라 생각하셨나 보다. 난 위급하면 119 불러 병원 간다는 소리 듣고 안양으로 올라왔다. 얼마 안 돼서 오빠는 심해 119 불러 대천병원에 있다고 다시 병원에 갔을 때는 이미 혼수상태였다. 아무도 몰라보고 말씀도 없다. 막내 오빠랑 이 내려와 큰오빠 다니시던 한림대 병원으로 모시고 왔다. 이미 오빠는 혼수상태로 깨어나지 않고, 59세 나이로 영원히 우리 곁을 떠나셨다. 너무 고생만 하고 떠났다. 오빠와 올케 사이는 자식이 없었다. 우리 형제들이 상주가 되어 오빠를 하늘나라로 보내드렸다.

장례를 마치고 집에 왔더니 엄마가 오빠가 집

에 오지 않는 걸 느끼셨는지 나중에 대성통곡 하셨단다. 오빠 죽음을 엄마한테 알리지 않았으니 말이다.

8. 두 여인

큰오빠가 떠나고 시골은 다시 엄마와 올케만 남았다. 두 분이 시골 계셨지만, 올케는 농사를 짓지 않았다. 세월이 흘러 엄마는 노쇠해지고 힘도 없으시고 아프셨다. 막내 오빠가 모신 다 해 내가 시골 내려가서 내 차로 엄마를 모시고 올라와 왔다. 엄마는 생전 처음 타보는 차라 올라올 때 멀미 나서 토하시고, 힘들어하셨다.

막내 오빠, 막내 올케가 힘들겠다고 생각했다. 난 너무 감사했다. 부모님을 모시는 것은 쉬운 것은 아니다. 난 안다. 늙은 부모 모시는 것이 얼마나 힘든 일이지. 엄마는 오빠 집에 계시면서 맛난 것도 언니들이 사들이고 도시의 구경은 하셨다. 멀미로 인해 장거리 가는 건 엄두도 못 낸다. 엄마는 기뻐하면서도 시골에 가고 싶어 했다. 이불도 궁금하지 않았을까? 그토록 애지중지 여겼던 걸 잠시만 계시면 시골 모시고 간다고 했으니 말이다. 하지만 엄마는 시골에 올라온 후는 모셔다드리지 않았다. 시골은 큰 올케 혼자 남게 되었다.

마주잡은 두손 표현

9. 엄마의 도시

어느덧 엄마는 이곳 환경에 적응하셨는지 시골 가는 걸 포기하시고, 오빠 집에서 잘 지내고 계셨다. 오빠, 올케 보살핌 속에서 맛있는 것도 드시면서 말이다. 엄마는 고기를 드시지 못한다. 하지만 생전 드시지 않았던 고기 피자도 드시고. 엄마는 부침개라고 하셨단다. 맛있다고, 가끔 내 바로 언니가 맛난 것도 사드리고 난 엄마한테 잘 한 것이 없는 것 같다. 내 일이 바쁘다는 핑계로 오빠, 언니들이 계시니 믿고 그랬던 것 같다. 가까운 데는 차도 타시고 엄마가 좋아하는 바지락 칼국수도 드시러 다녔다.

나의 시골집은 담쟁이 넝쿨로 뒤덮여 있었는데

그 위로 호박 넝쿨이 쭉 뻗어 애호박이 꽃이 피고 열매가 주렁주렁 맺히면 바다에 가서 캐왔던 바지락 넣고 애호박 넣어 칼국수를 끓여 먹었다. 엄마는 그래서인지 칼국수를 잘 드셨다. 집하고 그리 멀지 않은 곳에 바닷가가 있었다.

엄마가 생전에 좋아했던 음식

10. 엄마는 먼 여행

엄마는 오빠 집에서 잘 지내시다 미끄러지셔 엉덩이 엉덩뼈를 다치셨다. 연세도 있으시고, 병원도 가는 걸 싫어하신다. 병원에서 약이랑 타와 노인이다 보니 입원하셔도 힘들다 해 오빠, 올케언니는 환자용 침대를 대여해 집에서 대소변을 받아 내셨다. 엄마는 갈수록 야위어 가시고 하루하루가 달라지셨다. 올케언니가 엄마 모시고 계셔 고생하고 계셨다. 식사도 못 하시고 죽을 드셔야 했으니 말이다. 이런 엄마를 계속 모셔서인지 막내 올케는 어깨 아파 수술해야 하는 상황이 생겼다. 엄마는 삼 년 동안 누워 계시다가 할 수 없이 요양병원으로 모셨다. 3개월 후 엄마는 요양병원에서 눈을 감으셨다. 의사 선생님께서 힘들다고 가족들 연락해 와서 갔을 때는 숨을 몰아쉬고 계셨다. 가여운 엄마는 우리 곁을 떠나셨다. 엄마는 향년 90세 2015년 음력 6월 5일 11시 15분 눈을 감으셨다. 아버지, 큰오빠 일찍 잃은 딸 곁으로 가셨다. 엄마는 꽃가마를 타고 시집오신 것도 아니었다. 부모도 안 계셨으니 말이다.

난 엄마를 위해 상조 보험을 미리 들어 두었다. 살아생전 꽃가마는 타시지 못한 엄마 저 멀리 가시는 엄마를 리무진으로 모시고 싶었다.

사랑하는 엄마는 화장해 공원묘지에 안장되셨다. 엄마 안장되실 때 만 원짜리 한 장을 접어 넣어 드렸다. 저승길 가시다가 칼국수라도 사드시고 가시라 하는 맘으로 했다.

엄마는 새가 되어 자유롭게

산에서 도토리도 주우시고, 쑥도 뜯으시고, 엄마가 좋아하시는 거 하시라고 엄마 사랑합니다.

11. 그리운 엄마 발자취

엄마가 더욱더 생각날 때면 봄이 오면 쑥을 보면 생각나고, 가을 되면 도토리 보면 엄마가 더욱더 그립고 생각난다. 도토리 몇 알을 주워 호주머니에 넣고 만지작만지작 그랬던 적도 많다. 엄마가 돌아가시고, 엄마의 이불도 같이 우리 가족 곁을 떠났다. 나랑 같이 글 쓰시는 작가님도 엄마 꽃신을 그리면서 신고 가라는 시를 쓰신다. 나이를 먹으면 먹을수록 그리움이 더 쌓여만 간다. 나도 언젠가부터 엄마가 좋아했던 이불 보면 사고 싶다. 우리 엄마를 위해 그런 생각이 들 때도 있었다. 편히 하늘나라 계세요. 이다음 다시 만나면 건강한 모습으로 엄마를 보고 싶다. 사랑하는 엄마를 위해 이 글을 드립니다.

코스모스. 엄마

12. 봉숭아 이야기

요즘은 어릴 적 꽃들을 그리워하면서 함께 했던 '추억'들이 그리 많지 않으리라 본다.

꽃보다는 일상은 아이들이 너무 바쁘게 살아가고 있는 모습이 현실이다. 학교, 학원, 자유의 놀이보다 앞으로 살아가야 할 현실 하고, 싸우고 있다. 나, 어릴 적 꽃하고 지금의 꽃도 시대에 따라 변해가고 있다.

내가 어릴 적 꽃은 집안에 화단에 아무렇게나 자라고, 피고, 했던 꽃 봉숭아꽃이 있었다.

우리 집 화단에는 7월 이후면 피었다. 내 엄마와의 추억이고 그리움이다.

그리운 마음으로 엄마와 추억

학교 갔다 오면 봉숭아꽃이 방긋방긋 훤하게 웃듯이 반긴다. 나를 반기는 것은 "엄마와 봉숭아꽃" 엄마는 나에게 손톱에 봉숭아 물을 예쁘게 들여줬다. 봉숭아꽃, 봉숭아잎, 돌에 으깨어 백반하고, 함께 혼합해서 밤에 잠잘 때 손톱 위에 살포시, 내가 맞춰 잘라놓은 비닐 싸매 실로 꽁꽁 묶어 주었다. 너무 세게 묶어 아프기도 했지만, 밤새 참고 잤다. 자고 나면 어떤 것은 손톱에서 빠져 없었다. 세게 묶여 있는 것은 잠결에 아파서 뺐나 보다. 그래도 나의 손톱은 밤과 함께 변해있었다. 내 엄마는 정신적 충격으로 정신이 좀 이상했어도 일상생활은 별다른 점 없이 했다. 다만 엉뚱한 소리를 혼자서 했었다. 난 이런 엄마를 내 엄마라고 자랑보다는 숨기고 살았던 것 같다.

개천을 거닐 때 봉숭아꽃이 보여 따서 남편한

테 봉숭아 물을 들여 달라고 했다. 봉숭아꽃이 손톱에 물들어 첫눈 올 때까지 있으면 첫사랑이 이루어진다는 낭설이 있다.

난 "엄마"를 잊을 수도 없다. 벗어나고 싶었던 일들이 지금은 내 발목을 잡아 그 어린 시절 추억을 그리며 쫓아 살고 있다. 나도 모르게 젖어 있다.

13. 채송화 이야기

채송화꽃은 아주 순수하고 아주 여리고 작은 꽃이다. 난 내가 함께했던 꽃들을 좋아한다.

한번 피었던 자리에 해가 바뀌어도 변함없이 피고 지고 한다.

난 엄마와 함께했고, 그렇게 싫었던 것이 나와 함께 하고 있다.

난 나의 어릴 적 추억, 과거를 지금도 그리워 내 집 화단에 채송화꽃과 함께한다.

채송화는 변함없이 한해가 바뀌어도 나에게 찾아와 피고 있다. 도시의 아파트 창틀 베란다에서 핀다.

때론 벌, 들도 나의 화단에 손님으로 찾아와

앉았다 간다. 내 어여쁘고 내 '추억' 채송화를 벌은 알아봐 준다. 난 벌들에게 자릿세를 받지 않는다. 벌들은 꽃가루를 온몸에 묻혀 배부르다고 처음 왔을 때와 날아갈 때는 다르다. 꼬리에 노란 꽃가루를 잔뜩 묻혀 무거워 보인다. 저들도 새끼가 있겠지! 어떤 놈은 나처럼 사연 많은 놈도 있을 수 있겠지! 난 명량 쾌활 누가 봐도 이런 아픔이 있는 줄 모르니까. 나의 베란다는 꽃들이 많다. 나와 이야기해 주고 우리 엄마처럼 곱고, 때론 슬픈 꽃들도 핀다. 우리 엄마는 화려한 붉은색을 좋아했다. 아픔, 슬픔을 덮고자 했나 싶다.

우리집 채송화

난 그래서 빨간 채송화만 심어서 키운다. 내 엄마 꽃이라 하고 싶어서 소박하게 느껴져 채송화는 주로 여름에 7월이 후에 피어 해 뜨면 피고 밤이 되면 봉오리로 있다. 채송화 꽃말은 그리 좋은 것 같지 않다.

채송화 이야기 중에서 전설에 얽힌 이야기는 옛날 페르시아에 사치가 심한 여왕이 있었다고 한다. 세금도 보석으로 내라 하고, 백성들을 괴롭혔단다. 어느 노인이 수많은 보석 상자 하나를 여왕께 바치면서 조건을 걸었단다. 보석 하나당 페르시아 백성 한 명씩 값을 정산하란다. 백성이 다 사라지고 마지막 여왕까지도 사라지면서 파편들이 터지면 채송화로 변했단다. 꽃 이야기는 그리 좋지 않아도 난 내가 어릴 적 추억이고 엄마의 그리움이기에 좋아하고 사랑한다. 어릴 때 흔하게 보였던 채송화는 요즘은 그리 많이 보이지 않는다. 화려한 덩굴장미만 쉽게 보인다.

14. 백합꽃 이야기

자그마한 화단에 돌로 만들어진 절구가 하나 버티고 있다. 바로 옆은 하얀색 백합이 가득 메워 있었다.

넓은 마당에 들어서면 화단에 하얗게 피었던 백합꽃이 진동했다. 꿀벌들이 꽃 수술 사이를 번갈아 가면서 자기 집 드나들듯이 전쟁이었다. 지금도 내 머릿속에는 상상하면 눈에 꽃이 보이고 어릴 적 코끝으로 들어왔던 그 내음이 느껴진다. 백합은 마늘 같은 뿌리 모양처럼 생겼다.

네이버

어릴 적 추억이 그리워 시골집에 들러 백합이 있으면, 캐오려 했지만 하나도 없었다. 엄마와 함께 떠났나!

누군가 나의 추억 집에 한뿌리도 없이 다 캐가서 없었다. 우리가 살던 손때 묻어 있는 집도 아버지가 돌아가시고, 윗집 아저씨가 자기 명의로 돌려놨단다. 소송해서 찾으려 했지만, 증인인 아버지가 안계서 뺏기고 말았다. 뒤뜰은 주인 잃은 감나무와 엄마의 손때 묻어 있는 장독대만 덩그러니 주인을 잃고 변해가고 있다.

우리들은 옛집에 가지 않는다. 그래도 멀리서 보면 담쟁이넝쿨이 해마다 담을 에워싸고 있다.

엄마, 아버지, 큰오빠도 없다. 먼 하늘나라 여행 중이다. 난, 봉숭아꽃, 채송화꽃, 백합꽃은 나의 고향이자 엄마의 그림자다. 잊을 수 없는 꽃들이기에 사랑한다.

15. 엄마 딸이라 자랑스럽다

그렇게 숨기고 싶었던 이야기가 아니라 엄마의 이불, 엄마의 꽃 이야기로 글을 쓰듯이 지금은 엄마의 딸이라 자랑스럽고 당당하고 멋지게 살고 있다고 말할 수 있다. 주위 친구들도 나를 부러워한다. 두 아이의 엄마이기도 하고, 작은 사업을 하면서 나만의 멋진 여행과 취미로 낚시도 열심히 한다.

엄마의 딸이기에 가능했고, 철없을 적 그랬던 것이 후회스럽지만 엄마와 함께했던 일상들이 추억이 되고 그리움이 되었다. 세상을 살면서 포기하지 않고 내가 하고 싶은 일이 있으면 도전하고 쉬지 않고 나의 행복한 인생을 위해서 말이다.

난 배를 타면 하는 일이 있다. 사과 하나를 바다에 던진다. 큰오빠를 생각하면서 덤으로 준 사과를 마지막으로 드시고 하늘나라 가셨다. 오빠는 고향 앞바다로 가셨다.

낚시하면서도 고기를 잡으면서도 세상을 살아가는 데 많은 도움이 되었다. 무에서 유를 찾듯이 인생도 똑같다고 본다. 고기는 어느 날은 나오고 어느 날은 꽝 치고 오는 날도 있다. 팔이 아파도 저킹을 신나게 난 한다.

열심히 해야 잡을 수 있듯이 안 나온다고 투덜거리고 힘들다고 투덜대고 안 하면 잡을 수가 없다. 가짜 먹이가 진짜처럼 보이기 위해서는 움직여 줘야 한다. 난 끝까지 쉬지 않고 열심히 바보스럽게 한다. 바다 저 끝으로 뭉게구름 하늘이 바다와 맞닿아 있는 것 같이 보이고 파도가 출렁이어 거세지면 많은 배들이 파도가 삼켜 버린 것처럼 보인다. 하지만 잠시 배는 그 자리에 있었다. 모든 것이 자기 느낌이고, 생각이듯이 맘먹기에 있다고 생각한다. 행복도 불행도 마찬가지라고 생각한다. 난 활발하고 항상 긍정적이고 주위 노인을 보면 엄마 생각나서 아파트 총무 맡아 일하고 있을 때 맛난 것도 가져다드리고 보살펴 드리기도 했다. 누구나 인생의 끝은 똑같다고 보기에 자만하거나 거만하게 굴지 않는다. 나이를 먹으면서 나도 엄마이고, 할머니고 아내였듯이 삶은 어떻게 살아야 즐겁고 행복한 것인지 알고 있다. 지금에 난 나만의 삶을 살아간다. 엄마가 누리지 못했던 삶.

사람은 어떤 것이 행복이고 즐거운지 안다. 난 어느 지역이든 여행이나 낚시던 맛난 음식 먹을 때가 행복한 것 같다. 물론 모든 사람이 나처럼 생각하는지는 모른다. 난 행복하고 내가 살아있기에 보고 마시고 인생을 누릴 수 있다는 것이 항상 감사하면서 살아가고 있다. 주말, 평일 시간 나면 떠난다. 나의 일상적인 행복을 찾아서 떠난다. 엄마 고마워! 남은 우리 형제들도 행복하게 잘 산다. 엄마 잊지 않으면서 서로 사랑하면서 지낸다.

16. 엄마 닮아간다

하얀 흰 종이 위에 많은 글을 써 내려간다. 무슨 이야기로 글을 써 내려가야 하나 고민하면 글이란 잘 쓰려고 하면 힘들고 일상이 글들이 삶이라 생각한다. 봄이 오려나 보다. 입춘이 지나고 봄이 온다고 밖은 봄비라도 내리는 것인지 아니면 겨울이 아쉬워 더 머물고 싶어 서러워 내리는지 보슬보슬 대지를 적신다. 한해가 바뀌었다고 말했는데 벌써 달력은 2라는 숫자를 가리키고 있었다. 모든 게 변함이 없다. 세월, 시간 어김없이 온다. 내가 이렇게 빨리 느끼는 것은 나이 들어간다는 걸 느끼나 보다. 사람이나 동물이나 자기가 한참 정신없이 뭔가에

열심히 하고 나면 남은 것은 나이와 함께 공허함과 잡으려 해도 잡히지 않는 뭔가가 있다. 인생에서 선후배가 있고 자식과 부모가 있고 친구와 연인이 있듯이 세상은 순리대로 살아간다.

엄마를 닮아간다.

어린 시절 어른들께서 했던 말들이 이제는 다 맞는 것 같고 내 어머니의 존재처럼 나 역시 똑같아진다. 눈이 어두워 바늘귀를 못 끼고, 맛난 걸 드려도 맛이 없다 하고, 예쁜 옷을 사다 주면 옷이 있는데 왜 사 오냐고 하셨다. 지금 내가 내 어머니가 했던 것들이 나이를 먹어가면서 누가 가르쳐 주지 않았는데 느끼고 깨닫고 있다. 옆에 있을 때는 소중한지도 몰랐고, 늘 함께하는 줄 알았다. 요즈음은 너무 오래 살아서 걱정하는 시대가 되었다. 인간의 수명이 백세시대로 접어들어 노인이 많아 힘들어하는 시대 그래도 인간은 살고 싶고 죽고 싶지 않을 것이다. 오래 살아 계시면 가셔야 한다는 게 노랫말 가사처럼 아무렇지 않게 말한다. 고귀한 삶이란 무엇인가? 인간이 스스로 자기 혼자 일상을 보내고 남한테 의지 않고 살아갈 수 있으면 자식들한테 짐이 되지 않겠지! 누구나 다 똑같은 현실이 온다. 하지만 그걸 깨닫지 못한다.

난 가끔 TV를 보면 슬픈 현실을 본다. 요양병원에서 학대 이런 걸 보면 너무 슬프다. 인간이 돈의 구실이 되어 돌보고 자기도 똑같은 현실이 될 수도 있는 왜 저러나! 난 말한다. 억지로 일을 왜 하냐고, 봉사 정신이 있어야 하고, 책임감이 있어야 하는 것이 아닐까 한다. 어린 집에서도 어린이를 학대하는 뉴스를 보면 너무 씁쓸하고, 분노하게 된다. 난 어찌 될까! 스스로 묻기도 한다. 세상에 좋은 일을 많이 하는 사람을 보면 아낌없는 박수를 보낸다. 내 주위 어르신이 있으면 난 따스하게 말을 건넨다. 내 엄마 같기도 하고, 내가 못 해 드린 걸 다른 분께 보상이라도 하고 싶은 맘인지도 모른다. 내가 곧 나의 엄마이자 노인이 되기에 세상을 아름답게 살고자 한다.

2부 삶의 가치

1. 양파 속 비밀

사람들은 사회 나와서 새로운 인연.

처음 보는 사람은 외양으로 판단하고, 서로 좀 알아가고 친해지면 서서히 새로운 인연의 모습과 삶을 알 수 있다. 어떤 이는 고정관념이 있어 자기주장을 내세우기도 하고 자기만의 삶이 최고인 줄 알기도 한다. 사람과 만나 서로 공생관계를 맺으면서 산다는 것이 어렵다. 성격을 파악해야 하고 보면 볼수록 관계는 쉬운 것 같지만 어렵다. 양보의 미덕이 있어야 하고 베풀

줄도 알아야 주위 원만한 관계를 할 수 있다. 고집과 아집으로 인생을 살다 보면 단체 활동에서도 왕따를 당한다. 내가 문화생활을 많이 하면서 다방면 분야의 새로운 사람을 알아가고 있다. 하지만 자기와 맞아야 이야기도 통하고 사회생활은 할 수 있다. 고향 친구야 미워도, 싫어도, 코흘리개 친구라 서로 만나면 반갑고 옛 추억을 이야기한다. 난 아파트 살면서 30년 전 친구를 알게 되고 친하게 되었다. 그 친구는 착하고 성격도 조용하고 말없이 지내는 친구였다. 나와 친하게 지내다 보니 서로 집도 왔다 갔다 하고 알게 되었다. 친구 집에 놀러 오라 해 갔더니 작고 귀여운 한 아이가 보였다. 아이는 자리에서 일어나지 않고 고개만 끄덕 인사했다. 난 이 친구 집에 가기까지는 모르고 있었다. 딸 한 아이만 있는 줄 알았다. 나한테 이 친구는 말하기가 싫었나 보다. 태어날 때부터 선천적으로 걷지도 못하고 언어 장애가 있었다. 난 이 친구를 따스하게 감싸주고 말했다. 힘들었겠네?. 첫애는 선천적으로 장애를 안고 태어났다. 항상 이 친구는 힘들어 보였고 밝게 웃는 얼굴이 아니었다. 그래도 이 친구는 신앙생활을 해서인 항상 기도로 나을 수 있다는 신념이 있었다.

친구와 먹었던 커피

난 가끔 이 친구네 집 가서 놀기도 했고, 아이들도 크면서 같이 동네에 살던 아파트를 팔고 이사를 했다. 서로 처음은 이사하고도 연락도 하고 그랬다. 아이들 엄마로 나 역시 바쁘고 나도 하는 일이 있어 안 보게 되었다. 잊고 지냈다. 눈에서 안 보이면 멀어지나 보다. 늘 마음 한구석은 이 친구가 자리하고 있었다. 나도 전화번호도 바뀌고 나와 함께 살던 곳에는 20년 지나서 갔을 때는 친구도 이사하고, 없었다. 세월은 흘러 아이들도 대학 졸업하고 나 역시 나만의 시간이 많았다. 사람이란 양파와 같다는 생각이 든다. 껍질을 벗기면 벗길수록 새롭게 보이는 비밀들이 있다고 느낀다. 난 이 친구를 잊고 지냈다.

양파 속 비밀 표현

어느 날 갑자기 친구가 내 연락처를 어떻게 알았는지 모르는 번호가 와서 받을까. 말까. 하다 받아보니 난 누구 엄마야 잘 지냈냐고 묻는다. 나도 너무 반가웠다. 생각은 했지만 어디에 사는지 이사해서 모르고 있었으니 말이다. 우리는 얼굴 보자고 하면서 만나기로 했다.

만나기로 한 장소를 찾아가 보니 내가 알던 친구 모습이 보이질 않았다.

내가 알던 친구는 늘씬하고 그랬다. 나를 알아보고 왔다. 난 놀라고 말았다. 얼굴의 모습은 같은데 몸이 아니었다. 엄청 몸은 살이 찌고 몰라보게 변해있었다. 이 친구는 내가 알 때도 관절이 안 좋아 관절 약을 달고 살았다. 관절 약을 먹어서 그러나 보다. 아직도 먹고 있다 했다. 어찌 지내는지 물었더니 남편 사업이 부도나서 아파트도 팔고 이사했다고 했다. 너무 속

상했다. 착하고 얌전한 친구가 이런 일이 있다고 아이들도 많이 크고 큰아이는 복지관 다니면서 재활치료 한다 했다. 그 후 우린 자주 만나 밥도 먹고 커피도 마시고 했다.

친구한테는 많은 어려움이 있었다. 남편 때문에 속 끓었던 이야기 지금은 자기가 용돈이라도 벌겠다고 일하고 있단다. 몸도 안 좋은데 힘들지? 아르바이트로 아는 지인한테 가서 한다고 했다. 이 친구는 항상 나를 챙겼다. 교회 가면 바자회 하면 내 것도 사 오고 생일이면 밥도 함께 먹었다. 우리는 옛날처럼 잘 지냈다. 그런데 어느 날 코로나가 찾아왔다. 그래서 서로 카톡만 했다. 코로나가 잠잠해지면 보자고 친구가 이야기했다. 그래 잘 지내자 하고 서로 연락을 또 안 하게 되었다. 난 이 친구가 바빠서 그런가 하고 나 역시 안 하다가 6개월 지나

문득 생각나서 카톡을 했다.

친구는 답장이 없었다. 바쁜가 보다 하고 지내고 있는데 친구가 연락이 왔다. 남편이었다. 어떻게 되냐고 묻는다. 친구라 했다. 내 이야기 많이 들었다고 했다. 난 친구 집에 가도 남편을 뵈었던 적이 한 번이나 있었나 싶다. 매일 바빠 늦게 온다고 했다. 친구 남편이 하시는 말 친구가 하늘나라 갔다고 한다. 이게 무슨 일인가? 믿기지 않는다. 코로나 끝나고 보자면서 건강 잘 챙기라 말하던 친구가 떠나다니 믿기지 않았다. 벌써 3개월이 지났단다. 열이 나서 입원했다고 그런데 갑자기 며칠 입원하다가 갔단다. 변명은 폐렴 어이가 없다. 사람이 이렇게 쉽게 떠날 수 있다니. 난 남편한테 물어 친구 있는 납 골당을 찾아갔다. 어떻게 눈을 감았을까! 큰 아이 때문에 이 친구는 아이들이 아직 결혼도 안 했다. 너무 마음이 아팠다.

비밀스러운 인생의 끝을 놓고 떠났다. 너무 힘들었나 보다. 나 역시 수수께끼처럼 양파처럼 벗기면 벗길수록 수수께끼 같은 삶을 살았듯이 누구나 비밀스러운 운 삶들을 살아가고 있다. 다 말하지 못하는 사연들이 있듯이 말이다.

2. 깨진 그릇

봄비 내리듯이 대지 위를 적신다. 자연은 너무 위대하다. 봄이 오면 땅에 웅크리고 잠자고 있던 생명을 깨우듯이 금방이라도 비를 맞아서 새싹이 푸릇푸릇 솟아 나올 것처럼 느껴진다. 어김없이 찾아오는 자연 앞에 난 매번 놀란다. 봄 단비처럼 자연은 변함이 없지만 인간은 변하는 게 맞다. 아무리 친하고, 직장 선후배였더라도 사람이기에 자기 맘이 안 들면 변하는지 모르겠다. 난 마음 한구석에 함께 선후배로 직장 생활하면서 지냈던 일들 주마등과 같이 생각났다. 한동안 잊은 듯이 지냈는데 어느 날 갑자기 10여 년이 지났는데 아무런 일이 없던 것처럼 카톡이 왔다. 언니 잘 지내? 후배가 카톡 왔을 때 열어보지 않고 차단했다.

난 후배와 십 년 전에 만나기로 했었던 일이 생각났다. 후배는 다른 후배랑 먼저 만나기로 했었다. 롯데 백화점에서 만나기로 했다. 난 아직 일이 남아있었다. 한 직장의 책임자로 있다 보니 좀 일이 늦어졌다. 둘이 좀 더 쇼핑도 하고 놀고 있으라 했다. 우리 집에서 하루 머물기로 하고 보기로 했었다. 시간 약속 늦었다고 간다고, 물론 내 잘못도 크다. 그렇다고 이렇게 가나 싶다. 난 미안해 문자 했다. 사과했다. 하지만 그 뒤로 연락도 없었고 우리는 그 이후 연락도 만나지 않았다. 난 딸 결혼식도 알리지 않았다. 나한테는 너무 큰 상처였었고 지금도 잊을 수 없다. 깨진 그릇이 붙인다고 붙나? 설령 다시 지낸다고 마음속에 상처로 그전처럼 지내지 않을 것 같다. 그동안 쌓은 우정은 금이 갔다. 내가 옹졸한 것인가! 난 공치사하는 것 같지만, 그래도 친하게 지낼 때 먼 전라도까지 내 차 운전에 엄마 돌아가셨다 할 때도 갔었고 벚꽃이 휘날리던 때 같이 장거리 먼 데까지 가서 벚꽃도 보고 여기 오면 내 차로 함께 맛난 것도 찾아서 먹고 구경도 했었다. 지금은 좋은 것만 생각하고 후배와 연락하고 싶지는 않다. 굳이 불편한 감정을 억지로 숨기면서 만나기가 싫어서다.

3. J는 눈물 여인

어떤 봄날처럼 J라는 한 여인과 인연이 되었다. 옷깃만 스쳐도 인연이라 하지 않았는가? J는 나보다 나이도 많고 똑똑하고 지식과 학문을 갖춘 여성이다. 문화센터를 통해 알게 되었다. 서로 같은 마음으로 글도 쓰고 책도 만들기도 했다. 내가 처음 만났던 J는 첫인상은 차갑고 냉담하게 생겼다. 난 가까이하지 말고 그냥 같은 문화센터 이용하고 글 쓰는 사람이라고 느끼면서 인사나 하고 지내려 했다. 서로 글을 통해 쓰고, 읽고, 하다 보니 내면이 보였다. 엄마의 글이 주로 많이 나왔다. 누구나 엄마는 그립고 소중하고 잊을 수 없다. 하지만 J, 글은 가슴을 뭉클하게 한다. 나 역시 엄마 하면 맘이 아프고 후회하고, 내 삶을 깨닫지 못한 것에 후회로 아파한다. 시간이 지나다 보니 J는 가까운 이웃, 상처도 많고, 나이도 많고, 왠지 맘이 아팠다. 외향적인 모습보다는 맘도 따듯하고, 애교도 많다. 하지만 항상 외로워하고, 슬퍼하고, 자식한테는 죄인이라 생각한다. J 선배는 내가 부럽다 한다. 난 다 가졌다고 한다. 남편, 손녀, 즐겁게 인생 산다고 하지만 나 역시 만족은 못한다. J 선배는 맘의 상처가 알면 알수록 골프공처럼 작은 줄 알았더니 축구공같이 커다란 아픔이 있다. 건강해 보이지만 약하다. 똑똑하고 재주도 많고, 그림도 잘 그리고 다 부족함이 없어 보인다. J는 이혼도 했고, 남편이 사업으로 빚을 진 것까지도 혼자서 다 갚았다. 본의 아니게 이혼했단다. 남편 사업으로 인해서 말이다.

아들은 하나 있다. 혼자서 학원 강사로 아이들 가르치면서 수입으로 빚도 갚았고 아파트도 샀다. 혼자서 일찍 이혼하고 이렇게 할 때까지면 얼마나 열심히 살았나 근검절약도 몸에 배 있다. 지금은 삶은 윤택하지만 외로움과 인간으로 상처받은 것은 치유하기가 힘든가 보다. 주위 환경이 J 선배를 힘들게 한다. 눈물이 그녀를 아프게 한다. 그녀는 그동안 많은 상처로 많이도 흘렸을 눈물이 아직도 눈물이 마르지 않나 보다. 이혼의 상처, 아버지의 상처, 남동생의 상처, 아들한테 미안하고, 이 모든 것이 그녀 발목 잡아 힘들게 한다. 그녀는 하나뿐인 남동생이 부모보다 먼저 떠났단다. 끝까지 자기 삶대로 살지 않고 말이다. 얼마나 남은 가족한테 상처인가?

눈물의 여인

내가 이런 아픔을 듣다 보니 더욱더 맘이 아프고 안타까웠다. J 선배는 이루 말할 수 없겠다. 돌아가신 부모님 나이가 되었고, 자신이 죽음도 생각했단다. 하지만 자신이 낳은 아들이 있어 더 상처를 주고 싶지 않아 버티고 산단다. 겉으로 보는 밝은 모습은 어두움을 감추기 위한 발버둥이다. 난 이런 선배를 안쓰러워 옆에서 함께 해주고, 돌봐 주고 싶다. 이제는 남은 인생은 무대의 주인공처럼 살았으면 한다. J만의 멋진 삶, 멀리 먼저 떠난 부모님, 남동생도, 바라고 있을 것이다. 죄인도 아니고 멋지고 훌륭하고 그동안 열심히 살았고, 박수를 받을 만큼 훌륭하다고 말하고 싶다.

4. J는 또 한 번 시련

J는 아프다. 왜 그렇게 아플까? 그동안 인생사 때문에 그런가 자주 톡하고 연락했는데 느낌이 이상했다. 아픈가 보다. 혹 내가 뭘 서운하게 했는지도 생각했었다. 난 나름 잘해주고 싶어도 나 역시 바쁘다. J 선배한테 전화했다. 있다 연락하겠다고 하면서 안 한다. 난 직접 전화했다. 그랬더니 받는다. 카드를 누가 J 선배 이름으로 만들었단다. 뭔가 이상하다. 만들 수도 없다. 실명제 누가 만들어 사기 아니야? 내 목소리도 끝나기 전에 끊었다. J 선배는 분주한 것 같다. 바쁘단다. 경찰서 가야 한다나 이런 이야기만 했다. 난 그런가 보다 했다. 난 인천 강화 갔다

와서 J 선배 집 저녁때 들렸다. 밥도 못 먹고 어디인가 얼굴은 야위어 보였다. 밥도 넘어가지 않는단다. 같이 문화센터 했던 선배, 후배가 쌀이랑 죽 갖고 왔단다. 왜 갑자기 쌀은 뭐고 죽이야 아파 그렇다 하고, J 선배가 쌀 떨어져 사야 한다 했더니 갖고 왔단다. 그런가 보다 했다. J 선배가 쌀 떨어져 쌀 못 산다고, 그렇게 말할 성격이 아니다. 나한테 뭔가 숨기는 이야기가 있다. 나중 이야기한단다. 눈물을 흘린다. 워낙 눈물도 많아서 나이 먹고 외로워 그런 거겠지! 영양제나 맞으라 했다. 밥도 못 먹고 하면 영양제라도 맞으면 나을 것 같아서 알았다 한다. 다음날 J 선배 영양제 맞았어? 물었더니 톡으로 보이스피싱 당한 이야기 했다.

내 주위에서 이런 일이 또 있다고 생각하니 너무 화가 났다. 검찰청이라고 하면서 J 선배

명의가 도용당했다. 피해 본 사람들이 주위 많다고 하면서 선배 통장 이름도 같고, 감옥 가야 한다고 했단다. 다 늙어 무슨 감옥을 가야 하나 싶어 순간 시키는 대로 했단다. 2024년 3월 5일 보이스 피싱으로 그것도 4천5백 이게 뭔 일입니까? 내가 누구보다 더 안다. 열심히 살았고 근검절약 피 같은 돈을 하루아침 한입에 털어 넣다니 나쁜 놈들. 신이 원망스러웠다.

세상에 안쓰러운 J 선배한테 외롭고 가여운 한 여인 인생을 이렇게 짓밟아도 되는 겁니까? 똑똑한 사람이 이렇게 당하나 싶다. 사기꾼한테는 소용없나 보다. 내가 해줄 수 있는 것은 옆에서 힘든 걸 잊게 해 주고, 밖에 데리고 나가 힐링시켜 주고, 맛난 거라도 먹여야지 그래야 좀 나아지겠지. 맘의 상처치유 함께 해주는 일뿐. 누구라도 이런 일이 당하지 않길~~~

외로운 여자

5. 인생 철학

난 일찍 삶을 깨닫고 터득했다. 그래서 글 쓰는 데도 많은 도움이 된다. 살아온 삶으로 난 깨달음 난 자칭 철학자라 한다. 무거운 짐이 있으면 가벼운 짐도 있다. 내가 사랑하는 이들이 떠나듯이 누구나 다 떠난다. 하지만 평생 천년 만년 살 것처럼 지니고 산다. 이 세상에 내 것은 없다. 나와 가까이 있는 남편, 자식도 마찬가지다. 잠시 왔다가는 인생 같이 살아가고 사는 것뿐이다. 내 것은 지금 내가 쓰고 있는 것만 내 것이다. 황창연 신부님 말씀이 난 와닿았다. 육신이 편할 때 움직여 살고 늙어 사지육신이 못 움직이면 그대로 있으면 된다고. 있는 돈도 누구를 위해 쓰는가? 자신 위해 쓰면 된다. 놀 줄 알아야 논다. 주위를 돌아봐도 하루하루 앞만 보고 산다. 그놈에 머니에 묶여 쫓고 쫓은 인생사 다람쥐 채 바퀴 돌듯이 돈다. 마음만 앞 선다. 여행도 다녀야 한다면서 못 떠난다. 어디로 어떻게 가야는 지도 모른다. 난 사랑하는 사람들이 떠나는 걸 보고 난 내 인생은 멋지게 살자고 한다.

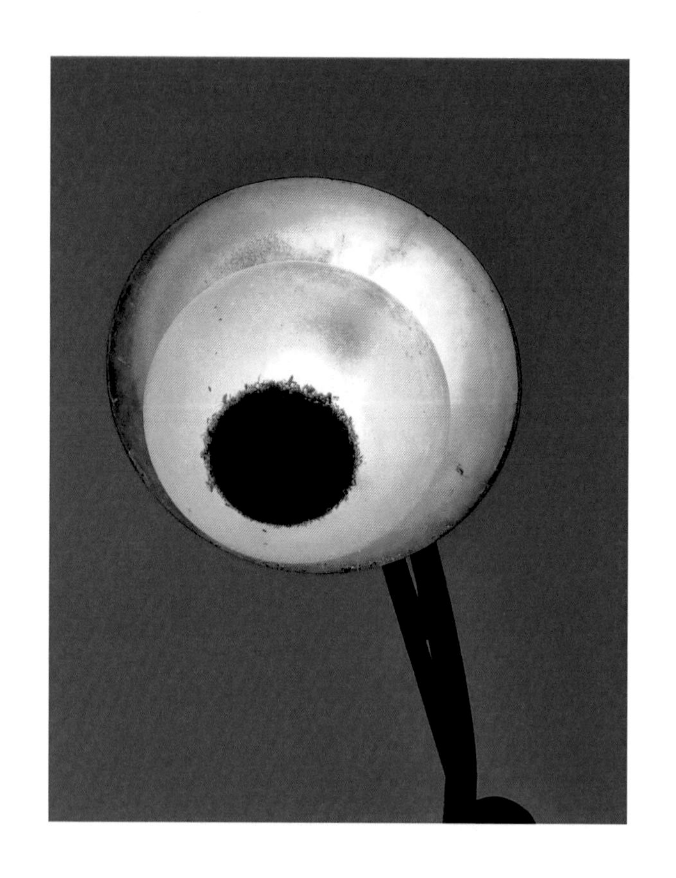

하루살이 인증샷

그놈에 노후 때문에 발목 잡혀 돈만 번다. 내일은 난 그때 걱정하자고 한다. 뭣 하러 미리 머리 싸매고 걱정하는가? 그냥 최선을 다해 오늘도 파이팅 하면서 살면 된다. 하루 벌어 하루살이 나이는 먹어간다. 난 산책하다가 하루살이가 불빛을 향해 달려들어 결국은 나오지도 못하고 갇혀서 죽는 걸 봤다. 우리네 인생사도 마찬가지다. 빛을 쫓아 들어가 나오지 못하는 하루살이나 우리네 인생사가 천년만년 사는 인생은 아닌데 움켜쥐고 자랑만 하고 쓰지도 못하고 그렇게 사는 어리석은 사람을 본다. 왜 그럴까? 아마도 몸에 밴 습관인지도 모른다. 난 어릴 적부터 모으는 것보다 쓰는 걸 좋아했다. 나도 성인 결혼 자식을 낳아보니 현실은 아니었다. 맞다 그럴 수밖에 하지만 자식이 출가했으면 내려놓고 멋지게 자신을 위해 투자하고 살았으면 한다. 요즈음은 하루가 초스피드로 달린다. 너무 빠르다. 난 할 일이 많다. 배워야 할 것도 많고 글도 써야 하고 취미 생활도 해야 하고 여행도 다녀야 하고 너무 할 일이 많다. 죽을 때까지 배운다고 하지 않았는가.! 난 그렇게 쓰고 싶던 글도 원 없이 쓴다. 책도 3권째 출간하려 준비 중이다. 난 통기타도 배운다. 스포츠는 골프, 스케이트, 탁구, 이제는 엑셀, 어반스케지, 얼마나 배워야 할 게 많은지 심심하지 않다. 심심할 시간이 없다. 취미 낚시도 해야 하고 맛난 음식도 어느 식당 가면 맛있나 찾아서 먹으러 다니고 싶다.

엄마가 좋아했던 음식 빵

난 바리스타 자격증 빵도 배웠다. 웬만한 음식은 하는 편이다. 이 세상 태어났으면 다 할 수 있으면 다해보고 살자다. 난 우리 집 식구 중 별난지도 모른다. 난 아마도 어려서부터 자유롭게 내가 하고 픈 거 하고 살아서 인지도 모른다. 힘든 일은 하지도 않았다. 지금에 나는 누가 시키지도 않았고 내 할 일이 뭔지 잘 알고 나아가고 있다. 인간관계도 원만하게 잘하고 있는 것 같다. 내 주위 친구 사회 친구도 다 20년 30년 친구들이다. 한번 맺은 인연은 난 버리지 않는다. 난 앞으로 소중하게 생각하고 지낼 것이다. 나이 먹을수록 벼 이삭이 고개를 숙이듯이 인생도 지내온 만큼 익어가고 싶다. 끝없는 나의 길을 난 갈 것이다. 건강만 하다면 죽을 때까지 글 쓰고 배우고 살고 싶다. 누워 있다가도 머릿속에 글귀가 떠오르면 핸드폰을 들고 쓴다. 나의 인생사는 지나온 삶이 철학이라 믿고 누가 가르쳐 주지 않아도 스스로 깨닫는 것이다.

비우면 된다. 마음속에 있는 재물의 욕심을 두 개이면 하나는 나눠 주고 맛난 음식은 혼자만 먹지 말고 내 이웃에게도 주고 인생사를 편하게 생각하면 된다. 부정보다는 긍정 이왕 사는 인생 힘들어도 부정을 긍정으로 바꾸면 편하지 않을까? 행복은 만들어지는 게 아니니까. 스스로 노력하고 만든다고 생각한다. 글을 쓰다 보면 오타도 난다. 수정했다 해도 자판을 치다 보면 오타 또 수정 그래도 완벽했다 하고 보면 오타가 보인다. 인생도 완벽하게 살지는 못한다. 허점투성이다. 어딘가 빈 곳이 있어야 누군가 채워 주지 않을까도 생각해 본다. 아무리 완벽한 사람같이 보여도 어딘가 보이는 게 있다. 다

잘하는 게 아니다. 신은 공평하시다. 본인이 자기만의 장점과 끼를 찾지 않고 노력을 안 해서 모르고 지날 수도 있다. 세상에 거저 되는 것은 없다. 일상 매일 세끼 밥 먹는 것도 그냥 먹지 않는다. 음식을 만들어야 먹듯이 말이다. 사람도 노력하지 않으면 혼자서 갇혀 산다. 늙어서 슬픈 인생을 산다. 찾으면 인간관계나 배움도 많다. 틀에 박힌 사고방식 때문이다. 해보지도 않고 세상 나가는 걸 두려워하고 자기는 못 한다고 한다. 신이 주신 재능을 숨기기 때문이다. 세상 창문에 갇혀 있다. 밖의 세상은 무한 열려 있다. 노력하면 된다. 본인의 삶을 찾음 밝아진다. 태양이 떠오듯이 밝은 빛이 들어온다고 말하고 싶다. 용기를 내서 부딪혀 보고 도전하라 말하고 싶다.

6. 자연이 주는 깨달음

요즘은 추운 겨울과 함께 아침잠을 깨우던 새들 소리가 예전처럼 들리지 않는다. 가을 대추나무, 감나무, 산수유, 대롱대롱 맺혀 익어갔던 아파트 화단 감과 대추는 어르신들 차지었다. 가을 간식으로 장대로 하나둘씩 털어 차츰차츰 맺혀 시선 집중했던 울긋불긋 과일들이 없어지고 맨 꼭대기 따기 힘든 것들만 남아있었다. 그것도 새들이 분주하게 다니더니 다 먹어 치우고 요즘은 먹을 게 없어선지 새들마저 어디로 갔는지 잘 보이지 않는다. 추운 겨울이 싫어진다. 눈이 소복소복 내리는 눈꽃 송이는 예쁘지만 봄과 풍성한 가을을 앗아가 왠지 싫다. 다시 봄은 오겠지! 모든 만물이 신이 창조하셨듯이 제일 먼저 알리는 것이 산수유다. 앞 베란다에서 내려다보면 노란 꽃들이 예쁘게 핀다. 산수유가 피고 좀 있으면 살구꽃이 핑크로 물들어 너무 아름답다. 살구꽃을 보면 동화 속으로 들어가는 것 같다. 벚꽃도 예쁘지만 이렇게 살구꽃이 예쁘다는 걸 난 알게 되었다. 다시 봄이 오겠지! 지금 봄을 우리 집 베란다에서부터 느끼고 있다. 난 꽃을 가꾸고 물을 주고 분주하게 얘네랑 대화하고 음악도 틀어주고 사랑을 준다. 준 만큼 나한테 환하게 꽃을 피워 화답이라도 하듯이 반긴다. 하지만 인간은 그렇지 않다. 모든 사람이 다는 그렇다는 것이 아니다. 만나고 헤어질 때 아름답게 떠나고 헤어져야 한다고 생각한다. 이기적인 행동 달면 삼키고 쓰면 버리고 그러는 사람도 있다. 이런 걸 접할 때 너무 서글퍼진다. 언제나 변함없이 세상을 살아갈 수는 없다. 하지만 맘의 문을 열고 다가서면 편하지 않을까? 사람과의 관계는 우주와 같다고 한다. 그만큼 관계가 어렵다는 것이다. 미국의 소설가 헨리 제임스는 이런 말을 했단다. '인생에서 중요한 게 세 가지 있다.' 첫째도 친절 둘째도 친절 셋째도 친절할 것 그만큼 사람의 관계는 마음에서 이루어진다는 생각이 든다. 먼저 문만 열고, 기다리기보다는 먼저 다가선다. 다시 봄이 오듯이 난 항상 새로운 봄을 기다리듯이 새롭게 푸른 싹이 나는 것처럼. 대인관계 하다 보면 때론 상처 입기도 한다. 하지만, 그 사람 성향을 이해하면 편해진다. 내 맘이 안 든다고 이 사람은 이래서 안 돼 저 사람은 저래서 싫어하면 내 기준으로 한다면 사회생활은 모든 이가 힘들어질 것이다. 공중에 새들도 서로 협

동하고 무리를 지어 다녀 살아가듯이 인간도 서로 같이 살아가야 한다. 이해와 타협 치유하고 서로 맞추면 된다고 생각한다. 문득 힘들 때 걷다가 잔디밭에 누워 하늘을 쳐다보면 맘이 평화로웠다. 뭉게구름이 채색되어 어디론지 흘러가고 있다. 뭉게구름은 자유롭게 세상 지배하듯이 내려다보면서 평화로이 떠다닌다. 난 어떤 사람인가도 누워서 생각도 해본다. 남의 이야기를 잘 들어주고 경청도 해주고 이러고 살고 있나도 생각해 본다. 남의 이야기하기는 쉽다. 바로 나일 수도 있다. 그래서 항상 조심하고 조심하면서 뒤돌아 생각도 해본다. 자연의 섭리를 보면서 난 느낀다. 세상 살아가는 이치를 깨닫게 된다.

7. 커다란 상처가 훈장

누구나 말하고 싶지도 않았던 일들이 많을 수 있다. 글쓰기 수업에서 손, 글을 쓰란다. 괜히 짜증이 났고 싫었다. 내가 이 수업을 듣는 이유는 또 다른 나를 알기도 하지만 새로운 것을 배우고 싶었다. 손. 난 생각지도 않았던 나에 대해 글, 먼저 손을 노트에 놓고, 그리고 손에 관해 이야기 써 내려간다. 저번 선생님과는 다른 수업 어릴 적 부모님이 만들어주신 작고 고사리 같았던 예쁜 손이 지금은 주인을 잘못 만나 마디도 굵어지고 검지에 끼었던 반지가 약지에 맞는다. 난 낚시를 좋아해 이곳저곳 바늘에 찔리고 긁히고, 상처투성이다. 골프도 친다고 장갑도 오른손은 안 끼고 치다 보니 거칠다. 손으로 하는 일들이 참으로 많다. 나를 위해 고생하는 손, 고맙다. 난 하나하나 내 손 손가락 이름을 불러 주었다. 엄지, 검지, 중지, 약지. 소지, 그동안 나를 위해 애써줘 고맙고, 사랑한다. 다른 분들도 각자 자기만의 생각과 표현들이 많았다. 좀 있으니, 몸에 관해 쓰란다. 난 과거 내 몸에 커다란 상처가 훈장처럼 있다. 지우고 싶어도 지울 수가 없다. 새로운 삶을 살게 해 준 훈장이다. 30대 중반 넘었을 때다 애들도 아직 어리고 그때는 먹고살기도 힘들었던 때라 일도 하면서 살림 애들 나한테는 벅차고 힘이 들었나 보다. 난 막내라 일도 안 하고 철없이 컸던 나에게 결혼과 동시에 어린 두 아이 엄마가 되고 보니 철이 들었다. 내 가정은 내가 지키고 애들도 키운다고 일도 하고 이러다 보니 몸에서 힘이 들었나 보다. 가슴에 바늘로 찌르듯이 통증이 왔다. 기침도 하고 약을 먹어도 호전되기는커녕 더 심해져 갔다. 난 결국 가까운 동네 병원 입원했다. 입원해서 그런지 기침은 안 하게 되었다. 퇴원하란다. 가슴 X 사진 CT는 이상이 보인다. 둥그렇게 뭐가 있다. 그런데 퇴원해서 3개월 뒤에 오란다. 난 그런 줄 알고 퇴원 막내 오빠, 언니가 난리가 났다. 무슨 소리냐고 큰 병원 가라고 난 소견서를 가지고 언니 아시는 분이 강남 성모병원에 계셔 바로 예약하고 전문의 교수님 만날 수 있었다. 선생님은 가슴 올리라고 하더니 주삿바늘 내 가슴에 대고 찌른다. 뽑는다고, 하지만 고름은 나오지 않았다. 이미 굳어져 있었다. 변명은 폐농양 폐에 고름이 생겨 굳어져 수술 안 하면 안 된단다. 난 눈물이 났다. 언니도 같이 울었다. 수술 날짜가

빨리 잡혀 난 일단 언니랑 집에 왔다.

애들은 초등학생이었다. 큰올케가 우리 집에 와 있기로 했다.

20여 년이 지난 일인데도 생생하다. 내가 아프다고 애들 아빠는 가락시장 가서 잉어가 좋다고 잉어를 사다가 들통에 끓여 줬다, 먹기 힘들지만 난 살아야 한다는 생각에 역겨워도 먹었다. 아무런 소용은 없었다. 난 입원하기로 하고 강남 성모병원으로 갔다. 드디어 내 수술 겁난다. 두렵다. 수술대에 눕자 난 마취에 잠이 들었다. 수술은 오랜 시간 동안 했나 보다 생각보다 더 오래 했단다. 난 왼팔이 너무 아팠다. 10시간 이상 수술했다. 내 왼쪽 갈비뼈 날개 쪽지까지 수술 자국이 있었다. 옆구리, 폐에서 이물지 꺼낸다고 고름 통, 수열 주사, 수액주사, 3개가 대롱대롱 매달려 있었다. 지금도 그때만 기억하면 두렵다.

하루도 빠지지 않고 애들 아빠, 그 당시 큰 오빠가 매일 왔다. 현재는 오빠는 돌아가셔 안 계신다. 내가 잘못될까, 걱정되었던 것 같다. 언니도 늘 보살펴 주고 걱정해 주었다. 나 역시 맨날 울었다. 어린애들이 있어 지금 죽으면 어쩌나 하는 생각이 머리에 스쳐 갔다.

수술은 잘되어서 퇴원하게 되었다. 추운 겨울 끝자락에 입원 따스한 봄이 올 때쯤 퇴원 집으로 오는 길은 세상이 달라 보였다. 밖에 자연이 너무 신비롭고 내가 다시 세상을 볼 수 있다는 게 꿈만 같았고 행복했다.

난 건강을 회복했고 일상생활은 그전처럼 하면서 살아갈 수 있었다. 담당 교수님이 수술도 예쁘게 비키니 입을 수 있도록 해주었다. 브래지어를 차면 보이지는 않도록 목욕탕 가서 때 밀고 마사지 받으면 아줌마가 묻는다. 왜 그러냐고 그냥 대충 이야기했다. 갈 때마다 듣는 것도 일상이 되어 이제는 아무렇지 않다.

얼마 전 딸하고 목욕탕 갔을 때도 딸이 이제는 새살이 올라서인지 검지 않다고 말했다. 훈장이 있어도 감사하다. 살아있다는 것이 얼마나 감사한가!

난 또 다른 훈장이 머리에도 있다.

그리 오래되지 않은 이야기가 있다. 워낙 남편하고 낚시를 좋아하다 보니 안면도 다리 밑에 가게 되었다. 우리는 다리 위에서 하려고 준비 없이 갔는데 다리 밑에서 사람들이 주꾸미를 잡는다. 한번 우리도 해보자고 낚싯대에 채비를 매달고 내려갔다. 안 나온다. 우린 다시 접자고 올라가려고 남편이 앞장서서 방파제 뚝을 다 거의 올라가더니 미끄러져 데굴데굴 구른다. 난 미처 피할 사이도 없이 남편은 나의 옆구리 부딪혀 난 공중으로 날아 갯벌 바다로 떨어졌다. 순식간에 일어난 일이다. 주위 낚시꾼들도 놀라 어찌할 줄 모른다. 난 숨이 쉬어지지 않았다. 옆구리가 너무 아팠고 머리에서는 피가 났다. 바닥에 뾰족한 돌에 부딪혀 머리가 깨진 것이다. 119를 불러 서산 병원 정신이 없다. 코로나가 한창 유행할 때. 한 곳은 코로나 입원 환자가 응급실 많단다. 다른 곳으로 갔다. 거기서 사진 X 찍고 다행히 이상 없다 해 20 바늘 꿰맸다 한다. 응급처치하고 우린 집으로 와서 난 동네 병원 1달 넘게 치료받았다.

지금도 여전히 낚시 다닌다. 사람들이 대단하다고 한다. 취미가 너무 많지만 둘이 즐겁게 같이 하다 보니 지루할 시간이 없나 보다.

나의 몸에는 훈장같이 상처도 있고 수술도 많

이 했다. 다리도 양쪽 다 했다. 산으로 들로 다니다 보니 다쳐서 상처투성이다. 그래도 늘 감사하다. 이렇게 하고 픈 일 취미 생활도 잘하고 있으니 얼마나 감사한지 모르겠다. 항상 불행만 오는 것이 아니기 때문이다.

8. 내게도 손녀 있다

예쁜 손녀 낳았다고 한다. 너무 기뻤다. 딸은 산후조리 후 집에 왔다. 내가 딸 조리 해주면서 만지면 부서질 것 같은 아가가 있었다. 따뜻한 물에 목욕도 시켜주고 아직 눈도 마주치지 않는 아가에게 시선을 떼지 않았던 적이 엊그제 같은데 벌써 6살이란다. 이제는 전화하면 할머니 뭐해? 묻기도 하고 자랑도 한다. 손녀 때문에 딸은 토끼를 키운다. 토끼 이름이 초코란다. 영상통화 하면 내 집엔 물고기 구피를 보여 주라고 한다. 손녀는 토끼 초코를 핸드폰 화면을 돌려 자랑한다. 보기만 해도 예쁜 손녀는 갈수록 귀엽다. 말도 제법 이제는 조잘조잘 잘한다.

딸 키울 때는 어떻게 키웠는지도 모르겠지만, 손녀 보면 너무 이쁘다. 할머니 우리집에 놀러 오라고 한다.

손녀는 먹는 욕심이 많다. 많이 먹지는 않는다. 양손 쥐고도 하나 주라 하면 안 준다. 너무 안 먹어 빼빼하고 키도 작다. 다른 아이들보다 작아 보인다. 먹는 욕심이 왜 많지? 아마도 빨리 먹지 못해 한 손에 쥐고 있나 싶다. 다른 사람이 다 먹어 치우면 먹을 게 없어진다고 생각하나 보다. 손녀가 무럭무럭 커가는 걸 보면 신기하다. 이만큼 키우기까지 딸이 맘고생 엄청나게 했다. 다른 아이들보다 말이 늦었다. 딸은 손녀를 데리고 언어치료 다닌다고 이리저리 데리고 다녔다. 맘고생을 하는 딸 옆에서 지켜만 보아야 했다. 딸은 무척 예민해 있었다. 손녀에 관한 이야기만 하면 화를 냈다. 딸이 고생한 보람이 있어 손녀가 말도 잘하고 이제는 곧잘 책도 보고, 토끼 초코, 글 가르쳐준다고 이야기하고 있다. 얼마나 귀엽고 이쁜지 예쁜 손녀가 앞으로 건강하게 잘 커 주기만 바랄 뿐이다.

민속놀이

9. 삶의 가치

인간은 더불어 살아가는 사회적 동물이다. 인문학 강의를 듣다 보면 역사, 도덕적, 내면의 세계를 말하는 것이다. 쓰고 말하는 거 인간관계이다. 철학도 도덕적 판단 모든 인간과 살아가는 삶을 말한다고 본다.

누구인가?

어디로 가나?

행복의 정의?

행복의 정의는 즐거움, 만족, 삶 의미 추구

모든 게 삶에서 비롯된다. 삶에서 비로소 느끼고 살아가면서 철학을 깨닫고, 인생에 경험에서 알아간다.

도덕은 성찰이라고 생각한다. 마음을 수양하고 인간의 본질에서 선과 악이 있듯이 어긋나지 않게 삶을 살고자 하면 된다. 삶의 가치를 난 지금 깨닫고 있다. 끝이 어디인지도 안다. 행복의 조건도 안다. 난 지금 마음을 수양하고 성찰하는 중이다. 지나온 삶들 속에서 보내고 헤어지고 아픔을 겪으면서 깨닫게 되었다.

인간의 삶은 가치 있게 살고자 할 것이다.

행복은 꿈꾸면서 말이다.

닫는 글

엄마의 한 서린 이야기를 끝으로 맺게 되었다. 엄마 세대는 왜 그렇게 힘들게 사셨을까! 지금 시대와는 차원이 다르다. 요즘은 엄마처럼 참고 살아가는 시대도 아니다. 한 여자이자 내 엄마이기에 가슴속에 항상 남아있었다. 싫었던 내 과거지만 그렇게 한스럽게 살았던 엄마가 안 계신다. 살아생전 못해 드린 것이 후회스럽지만 이미 떠나고 안 계신다. 옆에 계실 때 잘하라는 말이 괜한 이야기가 아니다. 엄마라고 부르고 싶어도 내가 창피하게 생각했던 엄마는 안 계신다. 이 글을 쓰면서 한 서린 옛 어른들의 삶을 생각했고 사랑하는 내 엄마를 위해 이글을 바칩니다. 편히 쉬세요. 이제는 다 제가 엄마의 "한 서린" 이야기 글로 풀어드렸습니다. 엄마 사랑해 ~♡♡엄마는 힘들게 사셨지만 저는 이렇게 즐겁게 재미있게 엄마의 몫까지 여행도 다니면서 행복하게 잘 살아가고 있습니다.

감사합니다.